KB219291

노란 손수건

노란 손수건

발 행 | 2024년 06월 20일
저 자 | 루시랄라
그림/번역 | 루시랄라
펴낸이 | 한건희
펴낸곳 | 주식회사 부크크
출판사등록 | 2014.07.15.(제2014-16호)
주 소 | 서울특별시 금천구 가산디지털1로 119 SK트윈타워 A동 305호
전 화 | 1670-8316
이메일 | info@bookk.co.kr

ISBN | 979-11-410-8841-5

노란 손수건

루시랄라 지음

영국으로 간 미운 오리새끼

철봉에 너무 오래 앉아 있었는지 엉덩이가 저려온다.

'모슬리 선생님은 언제쯤 나타날까?
파란 하늘도, 구름도 지겨워지는데…….
그래도 교실보다는 여기가 나으니까.'

역시나 저 멀리서 빠글빠글 곱슬머리의 모슬리 선생님이
소리쳤다.

"Oh. Sumi. you again, what are you doing there?

나는 오늘도 별말을 하지 않기로 했다.
사실은 할 수도 없지만 말이다. 모슬리 선생님은 커다란
발걸음으로 어느새 성큼 내 곁에 다가와 있었다. 모슬리
선생님의 크고 푸른 눈이 내 눈으로 들어올 것만 같은
그 순간, 선생님은 검정 머리를 길게 늘어뜨린 나의 손을
잡고 교실로 향했다.

시끄러운 교실로 들어서자, 나는 모슬리 선생님의 손을
재빠르게 뿌리쳤다. 교실 벽에 붙은 테이블 하나가 눈에
들어왔기 때문이다. 얼른 테이블 밑으로 들어갔다.
오늘은 운 좋게 벽에 붙어 있는 테이블이다.

'아이들이 다가오면 귀를 두 손으로 막고 벽만 바라보면 돼.
그럼, 오늘은 오줌을 바지에 흘리지는 않을 거야.'

'오, 이상하네!'
하루도 빠짐없이 다가오는 Sophie, Claudia, Harry가 모슬리
선생님이 가져온 애완용 토끼에 정신을 팔렸는지 오늘은
나에게 다가오지 않는다.

운 좋은 날이다.

잠시 뒤 기다리던 소리가 들려왔다. '땡, 땡, 땡.'
교실 밖에서 들리는 이 종소리는 엄마들이 아이들을 데리러
왔다는 소리다.

"엄마다!"

나는 금방이라도 흘러나올 것 같은 오줌을 꾹 참은 채,
교실 밖 울타리 문이 열리자마자 쏜살같이 달려 나갔다.

엄마는 나처럼 어디서나 눈에 참 잘 띈다. 멀리서도 금방
알아볼 수 있다. 새까만 검은 머리, 큰 키, '수미야'라고
부르는 한국말 소리, 다른 엄마들이 쳐다봐도 엄마는
'수미야, 엄마 여기 있어'라고 큰소리로 우리말을 한다.

그 소리가 좋긴 한데 사람들이 다 쳐다보니
좀 어색하다.

내 손을 꼭 잡고 집으로 돌아온 엄마가 이야기했다.

"수미야, 오늘도 노란 손수건 필요해?"

나는 엄마에게는 대꾸도 하지 않은 채,
학교에 가 있는 동안 신데렐라를 덮어 두었던 인형의 집에서
노란 손수건을 꺼내었다.

"엄마 묶어 주세요"

엄마는 아무 말 없이 노란 손수건을 내 머리 위에 씌우고
뒤로 살짝 묶어 벗겨지지 않게 고정해 주었다.
이제는 안심이다. 검은 머리카락이 보이지 않는다.

"나도 이제 머리가 노랗지? 노란 머리야!"

엄마가 나를 꽤 오래 바라본다.
눈이 점점 더 반짝인다.

나는 다섯 살!
오늘도 학교에 간다. 엄마랑 아빠랑 영국에 온 지
벌써 몇 달이 지났다.
엄마가 보고 싶은데, 집이 좋은 데, 엄마는 자꾸만 나를
무서운 학교로 보낸다.

파란 눈의 아이가 내 손을 잡고 '하하하' 웃는다.
노란 머리 아이가 내 머리카락을 만지며 알 수 없는
말을 한다.

무섭다.

그러면, 바로 '앙' 하는 울음소리가 터져 나오는데,
속상한 건 그때마다 오줌이 자꾸 흘러나온다는 것이다.
그렇게 팬티가 젖으면 돌멩이처럼 앉아 있으면 된다.
선생님이 오줌 묻은 옷을 벗기고 엄마가 가방 속에 놓아둔
옷으로 갈아입혀 줄 때까지…

언제부터인가 나는 엄마가 없는 교실에서는
테이블 밑이 최고라는 것을 알게 되었다.
오줌을 싸도, 친구들이 무서워도, 그 안은 제일 안전하다.

나는 오늘도 테이블 밑으로 들어간다.
그런데 어찌 된 일인지 모슬리 선생님이 나를
교실 밖 다른 곳으로 이끈다.

그곳은 내가 있던 교실과는 많이 다른 곳이었다.

커다랗고 말랑말랑한 핑크 별이 그려져 있는
노란색 볼이 여러 개 보였다. 엄마의 커다란 요가 볼과 많이
닮았다. 조개 모양 소파, 로봇과 헬리콥터 장난감,
교실 한구석에는 여러 가지 색깔의 모래들도 있었다.
책꽂이에는 글자 없이 숭숭 구멍들이 뚫려 있거나 누르면
소리가 나는 책들도 있었다.

학교에 와서 이렇게 멋진 장소는 처음이었다.

모슬리 선생님은 그곳에 앉아 있던
하얀 머리의 할머니 선생님과 이야기를 시작했다.
여전히 알 수 없는 말을 많이 했는데
그중에 'special'이라는 단어는 알 것 같다.

'스페셜'은 뭐 좋은 거니까.

모슬리 선생님이 떠나고, 하얀 머리 '스페셜' 선생님이
내 손을 잡고 데려간 곳은 색깔 모래들이 놓여 있는
모래판 안이었다.
빨강, 노랑, 주황, 보라, 파랑과 같은 멋진 모래들이
신기했다. 나는 모래들을 살며시 만져 보았다.
부드러웠다.
선생님이 들려주는 'wheels on the bus goes round and
round, round and round…' 노래도 마음에 들었다.

학교가 처음으로 좋아질 수도 있을 것 같았다.

쉬는 시간을 알리는 종소리가 들렸다.
종소리와 함께 또 다른 선생님이 남자아이 손을 잡고
교실 문을 들어섰다.

"안녕, 조지?"

스페셜 선생님이 조지를 바라보며 인사했다.
조지와 함께 왔던 선생님도 모슬리 선생님처럼 금방 어디론가
가버렸다.

스페셜 선생님은 조지의 손을 잡고 나에게 다가왔다.
"수미, 이 아이는 조지야."

조지는 눈처럼 하얀 얼굴에 내가 갖고 싶어 하는
바로 그 노란 머리를 가진 아이였다.

"아아아, 수으수."

조지가 나에게 인사했다. 조지의 입 한쪽으로 침이 흘렀다.
침과 함께 '헤헤' 웃으며 뭔지 모를 말을 했다.
조지도 나처럼 여기 아이들과는 꽤 다른 말을 사용하는 것이
마음에 들었다.

조지는 곧 나에게 핑크 별이 그려진 말랑말랑한
큰 볼을 굴렸다. 나도 조지에게 그 공을 굴렸다.
한 번, 두 번, 왔다 갔다, 조지는 자꾸 웃었다.
나도 웃음이 나왔다. 조지와 공을 굴리고, 소파 위에서
서로 뒹굴뒹굴하다가 할머니 선생님과 조지와 함께
춤도 추었다.

이렇게 신나는 날은 영국 와서 처음이다.

땡, 땡, 땡, 벌써 엄마를 만날 시간이 다가왔다.
조지와 사이좋게 그 멋진 '스페셜' 장소에서 나오는데
엄마의 눈이 동그랗게 커진다. 엄마는 평소처럼
내 손을 잡았지만, 자꾸만 기다리라고 말했다.

모슬리 선생님에게 꼭 할 이야기가 있다고 말이다.

잠시 뒤 아이들을 모두 보낸 모슬리 선생님은
엄마와 오랫동안 이야기를 나누었다. 내 손을 꽉 잡은
엄마의 손이 오늘따라 왜 이렇게 축축이 젖어 있는지
난 알 수가 없다. 엄마와 모슬리 선생님의 대화는 역시나
내가 모르는 말들뿐이다.

'엄마는 왜 저리 슬퍼 보일까?'
노란 손수건을 머리에 씌워 달라고 얘기할 때마다 나오는
꼭 그 표정이다.

집으로 돌아온 엄마가 조용히 이야기했다.
오늘따라 엄마가 잡은 손이 아프게 느껴졌다.

"수미야, 오늘부터 수미가 다른 교실에서 공부했지?

"응, 엄마 나 교실 아니고 엄청 좋은 데서
공부 안 하고 놀았어! 조지랑."

"그래, 수미야. 앞으로 학교에서 선생님이 수미 많이 놀게
해 주려고 하는 거야. 나중에 말도 잘하게 되고 긴장도 안
하게 되면 다시 교실로 돌아올 수 있어."

"아니야, 엄마. 나는 교실보다 조지가 있는 곳이 훨씬 좋아!
정말 스페셜이야!"

엄마는 더 이상 아무 말도 하지 않았다. 집에 도착한
나는 신발을 벗어 던지고 노란 손수건을 찾아 머리에 쓰고
인형 놀이를 하기 시작했다.

다음 날 아침,

나는 교실이 아니라 '스페셜' 할머니 선생님과 함께

그 멋진 곳으로 향했다. 저 멀리 선생님 손을 잡고 들어가는

내 모습을 바라보는 엄마의 눈이

또 반짝거렸다. 진주가 떨어지는 것처럼...

'스페셜'한 그곳에는 조지가 먼저 와 있었다.

조지는 커다란 종이에 뭔가를 열심히 그리고 있었는데

입 한쪽에서 자꾸 침이 나와 하얀색 티셔츠의

왼쪽 가슴이 이미 반쯤은 젖어 있었다.

나는 조지에게 다가가 조지의 그림을 쳐다보았다.

정말 알 수 없는 그림을 조지는 매우 심각하게

그리고 있었다. 사람인 것 같은데 온통 주변에 검은색으로

물감칠을 했다.

"검정말이야?"

궁금해하는 내 모습을 보며 조지는 또 '헤헤' 웃었다.

갑자기 조지가 검정 물감으로 가득 찬 그림을 나에게

바짝 갖다 대었다.

"수... 스... 스.. 수." 조지가 외쳤다.

그 순간 알았다.

조지가 그린 것은 친구들처럼 노란 머리가 아닌
시커먼 내 머리카락이었다.

나는 너무나 놀라 '앙'하고 울기 시작했다.

바지가 따뜻해져 온다. 돌멩이처럼 앉지도 못한 채 비명을

질렀다. 스페셜 선생님이 다가와서 나를 꼭 안고

뭐라고 말을 했다. 괜찮다고 말하는 것 같았지만 울음이

멈추질 않는다. 나를 그렇게 놀라게 한 조지도

나를 따라 울기 시작했다.

웃음소리가 가득했던 우리들만의 '스페셜'한 공간이

지금 이 순간 우리들의 울음소리로 꽉 채워지고 있었다.

선생님은 계속 괜찮다고 말하며 바쁘게 움직였다.
내 바지를 갈아입혀 주고 검은색 물감을 치우고
조지와 나를 달래며 달콤한 주스까지 따라 주었다.

주스를 홀짝거리던 조지는 나를 슬쩍 바라보더니
다시 '헤헤' 웃기 시작했고
나도 더 이상 울음이 나오지는 않았다.

우리가 진정되자, 선생님은 조지가 그렸던 그림을 바라보았다.
그리고 조지에게

"이 멋진 그림이 무엇일까?"라고 물어보았다.
조지는 다시 나를 가르치며 얘기했다.

"수, 수, 스 프, 프 티."
선생님은 곧 조지가 하는 말을 듣고 크게 외쳤다.

"오~조지! '너 수미 예쁘다(Sumi, pretty)'라고
얘기한 거구나, 그래! 조지, 이 그림 너무 멋진 걸.
수미! 이것 좀 봐, 정말 멋있지?"

나는 슬쩍 그 그림을 다시 쳐다보았다.

'예쁘긴 뭐가 예뻐? 그냥 새까만 머리인데…….'
속으로 생각하며 그 그림을 바라보는데 할머니 선생님이
급하게 반짝이는 풀을 가지고 오셨다.
그리고 그 반짝이 풀을 조지와 나의 손바닥 안에
쭈욱 짰다.

"자, 여기를 보렴."

선생님은 반짝이는 풀을 치약처럼 짜서 두 손으로
비빈 다음, 조지가 그린 까만 머리카락 위에
찍기 시작했다. 바짝 마른 검정 물감 위로 은하수 같은
아름다운 빛이 찍혔다. 우리도 반짝이 풀을 선생님처럼
손바닥으로 비빈 후 검정 머리카락 위에 찍기 시작했다.

손바닥을 한번, 두 번, 찍을 때마다
검은 머리카락 위에 빛이 생기고 있었다.

예뻤다. 더 많이 찍었다.
조지가 그린 까맣기만 한 검은색 머리카락이
새롭게 춤추기 시작하였다.

달님의 빛, 별님과 춤추는 은하수가 생겨났다.

반짝반짝 온갖 빛을 담은 검정 머리카락이 신기하고
아름다웠다. 선생님은 예쁘다며 좋아하시고,
조지도 '에, 쁘, 에쁘.'라고 외쳤다.
조지가 '헤헤' 거리며 나를 보았고, 작은 수수깡 손으로
내 머리카락을 만졌다.

"에, 쁘, 에쁘."

나는 얼른 일어나 교실 벽걸이 거울을 통해
내 모습을 보았다.

내 검정 머리.

'어….그런데'

교실 조명 아래, 반짝이는 그 빛들이
바로 내 머리카락에서 서서히 흘러나오고 있었다.
은색과 금색을 섞어 놓은 듯한 반짝이는 빛들이
고개를 흔들 때마다 가지런히 빗어 내려
찰랑거리는 내 까만 머리 사이 사이에서
흘러나오고 있었다.

'빛이야! 내 머리카락에 빛이 있었어!'

나는 거울 앞에 서서 한참 동안 나 자신을 바라보았다.
신비한 빛을 내는 내 검은 머리카락!

신비롭고 아름다웠다.

나는 조지와 할머니 선생님을 번갈아 꼭 껴안았다.
할머니 선생님도, 조지도 나를 부드럽게 껴안았다.

우리는 함께 껴안은 채 빙글빙글 돌며 춤을 추었다.

'땡..땡..땡'
엄마는 언제나처럼 학교 정문 앞에 서 있었다.
집으로 돌아온 나에게 엄마는 곧 노란 손수건을 꺼내
내 머리카락을 감싸려고 하였다.

"아니야, 엄마! 노란 손수건 하나도 안 예뻐.
내 머리카락이 더 예뻐, 보세요!
내 머리카락에 은하수 빛이 있어요."

노란 손수건을 손에 쥔 엄마의 눈이 크게 흔들렸다.
엄마가 노란 손수건으로 눈을 닦는다.
닦아낸 엄마의 눈이 투명했다. 엄마는 부드러운
두 손으로 내 머리카락을 말없이 쓰다듬었다.

찰랑거리는 머리를 뒤로 한 채
나는 오늘도 인형 놀이를 한다.

생각하기

만약 미운 오리새끼가 백조무리로 돌아갈 수 없다면,
그 미운 오리새끼는 어떻게 살아가야 할까요?

노란 손수건 _{영문판}

루시랄라 글/그림

진지한책방 표지디

My buttocks were getting numb from sitting
on the horizontal bar for too long.

'I wonder when Mrs. Mosley will show up.
I'm getting tired of the blue sky and the clouds...
But it's still better than being in the classroom.'

Sure enough, from a distance, Mrs. Mosley with her curly hair shouted,

"Oh. Sumi, you again, what are you doing there?"

I decided not to say much today either. Actually, it was not like I could anyway. Before I knew it, Mrs. Mosley came up to me with her big strides. It was just as her blue eyes seemed to come into mine. With my long black hair cascading down, I took the teacher's hand and walked to the classroom together.

As we entered the noisy classroom, I quickly let go of Mrs. Mosley's hand. I noticed a table against the wall. I quickly crawled under the table. Luckily, today's table was the one against the wall.

'If the kids come near, I just have to cover my ears with my hands and stare at the wall. That way, I won't wet my pants today.'

'Oh, this is strange!'
Sophie, Claudia, and Harry, who had come to me every single day, were distracted by the pet rabbit Mrs. Mosley brought in today and weren't approaching me.

It was a lucky day.

A little while later, the sound I had been waiting for rang out. "Ding, ding, ding." This bell ringing outside the classroom meant that the mothers had come to pick up their children.

"Mom!!"

Holding back the pee that was about to come out,
I dashed out as soon as the fence gate outside opened.

My mom stood out just like me. I could spot her from a distance. Jet black hair, tall height, calling out "Sumiya" in Korean. Even when other mothers looked, she loudly said in our language, "Sumiya, I'm here."

I liked that sound, but it felt a bit awkward with everyone staring.

Holding my hand tightly, Mom said as we walked home.

"Sumi, do you need the yellow handkerchief again today?"

Without responding to Mom, I took out the yellow handkerchief from the dollhouse where I had covered Cinderella while I was at school.

"Mom, please tie it for me!"

Without a word, Mom placed the yellow handkerchief over my head and tied it at the back to make sure it wouldn't come off. Now I felt secure. Not a black hair anymore.

"Now my hair is blond too, right? blond hair!"

Mom looked at me for quite a while.
Her eyes sparkled more and more.

I am five years old!

I'm going to school again today. It's already been a few months since Mom, Dad, and I came to England.

I miss Mom, and I like being at home, but Mom keeps sending me to this scary school.

A blue-eyed kid holds my hand and laughs, 'Ha ha ha.' A blonde kid touches my hair and says something I can't understand.

I'm scared.

Then, I immediately burst into tears, and the upsetting part is that every time it happens, I keep wetting myself. When my underwear gets wet, I just sit still like a stone. I stay that way until the teacher takes off my wet clothes and changes me into the clothes Mom put in my bag.

At some point, I realized that the space under the table is the best place when Mom isn't around in the classroom. Even if I wet myself or get scared of my classmates, it's the safest spot.

Today, I crawled under the table again. But for some reason, Mrs. Mosley led me outside the classroom to a different place.

It was very different from the classroom I was in.

There were several large, soft yellow balls with pink stars on them, much like Mom's big yoga ball. There was a seashell-shaped sofa, robot and helicopter toys, and in one corner of the room, various colored sands. On the bookshelf, there were books with holes in them or ones that made sounds when pressed, without any letters.

Anyway, it was the first time I had seen such a wonderful place at school.

Mrs. Mosley started talking to an elderly teacher with white hair who was sitting there. She still said many things I couldn't understand, but I recognized the word 'special'

'Special' means something good.

After Mr. Mosley left, the white-haired "special" teacher took my hand and led me to the sandbox with the colored sands. The beautiful sands in red, yellow, orange, purple, and blue were fascinating. I gently touched the sands. They were soft.

I also liked the song the teacher sang, "Wheels on the bus go round and round, round and round..."

For the first time, I thought I might actually start to like school.

The bell signaling break time rang.
With the bell, another teacher entered the classroom holding a boy's hand.

'Hello, George,' the special teacher said, looking at George and greeting him.
The teacher who had come with George quickly went somewhere else, just like Mrs. Mosley.

The special teacher took George's hand and came over to me.
"Sumi, this is George."

George had a face as white as snow and the blond hair I wished I had.

"Aaaah, Sumi,"

George greeted me. Drool trickled from one side of his mouth. He laughed "hehe" and said something I couldn't understand. I liked that George, like me, used words that were quite different from those of the other kids here.

George soon rolled the large, soft ball with the pink star on it to me. I rolled it back to him. Once, twice, back and forth. George kept laughing. I started to laugh too. We rolled the ball to each other, tumbled around on the sofa, and even danced together with the elderly teacher and George.

This was the first exciting day I had had since coming to England.

Ding, ding, ding. It was already time to meet Mom. As George and I left that wonderful "special" place together, Mom's eyes widened in surprise. She held my hand as usual but kept telling me to wait.

She said she had something important to discuss with Mrs. Mosley.

A little later, after all the children had left, Mrs. Mosley talked with Mom for a long time. I couldn't understand why Mom's hand, tightly holding mine, was so damp today. Their conversation was full of words I didn't know.

'Why did Mom look so sad?'
It was the same expression she had every time I asked her to put the yellow handkerchief on my head.

When we got home, Mom quietly spoke. My hand was felt painfully tight by her hand today.

"Sumi, starting today, you studied in a different classroom, right?"

"Yeah, Mom. I didn't study in a classroom; I played in a really nice place! With George."

"That's right, Sumi. From now on, the teacher will let you play a lot at school. When you start speaking well and don't feel so nervous, you can go back to the regular classroom."

"No, Mom, I like the place with George much better than the classroom! It's really special"

Mom didn't say anything more. When we got home, I kicked off my shoes, found the yellow handkerchief, put it on my head, and started playing with my dolls.

The next morning, I headed to that wonderful place with the 'special' elderly teacher instead of the regular classroom. From a distance, Mom watched me walk in holding the teacher's hand, and once again, her eyes sparkled. It looked as if pearls were falling from her eyes.

George was already there in the 'special' place. He was intently drawing something on a large piece of paper, with drool continuously dripping from one side of his mouth. The left side of his white T-shirt was already half soaked.

I approached George and looked at his drawing. He was drawing something very seriously, but it was hard to understand what it was. It seemed to be a person, but he had painted all around it in black.

"Is it a black horse?"

I asked curiously, watching him. George laughed again, "Hehe."

Suddenly, George brought the drawing filled with black paint close to me.

"S... Su... Su... Sumi," George exclaimed.

At that moment, I understood.

What George had drawn was not a blond-haired friend but my jet-black hair.

I was so shocked that I burst into tears with a loud wail. My pants grew warm. Unable to sit still like a stone, I screamed. The special teacher came over and hugged me tightly, saying something that sounded like it was going to be okay, but I couldn't stop crying. George, who had startled me so much, started crying too.

The laughter that once filled our 'special' place was now completely replaced by the sound of our sobs.

The teacher kept reassuring us, saying it was okay while moving around busily. She helped me change my pants, cleaned up the black paint, and comforted both George and me, even giving us some sweet juice.

As George sipped his juice, he glanced at me and started laughing 'hehe' again, and I found that I couldn't cry anymore either.

Once we had calmed down, the teacher looked at the picture George had drawn. She then asked George,

"What is this wonderful drawing?"
George pointed at me again and said,

"Su, Su, Sp... Pr... Pretty." The teacher, upon hearing George's words, exclaimed,

"Oh, George! You were saying 'Sumi, pretty.' Yes! George, this drawing is amazing. Sumi! Look at this, isn't it wonderful?"

I glanced at the drawing again.

'What's pretty about it? It's just black hair...'
I thought to myself as I looked at the drawing. The elderly teacher quickly brought over some glitter glue. She squeezed the glitter glue into George's and my palms.

"Look here! "

The teacher squeezed the glitter glue like toothpaste, rubbed it between her hands, and then began dabbing it onto the black hair in George's drawing. Beautiful, galaxy-like sparkles appeared on the dried black paint. Following her lead, we also rubbed the glitter glue between our palms and started dabbing it onto the black hair in the drawing.

Each time we dabbed our palms onto the paper, light appeared on the black hair.

It was beautiful. We dabbed even more.
The once completely black hair that George had drawn began to sparkle anew.

Moonlight and a dancing galaxy of stars emerged.

The black hair, now filled with all sorts of sparkling lights, was fascinating and beautiful. The teacher admired it, saying it was pretty, and George exclaimed, "P... pretty." George looked at me with a 'hehe' and touched my hair with his small, delicate hands.

"Pretty," he said.

I quickly got up and looked at myself in the wall mirror of the classroom.

My black hair.

'Oh... '

Under the classroom lights, the shimmering sparkles seemed to flow right from my hair.
The glittering lights, a mix of silver and gold, streamed out between the strands of my sleek black hair, shimmering with each shake of my head. It was as if my hair had captured the starlight itself.

'Light! There's light in my hair!'

I stood in front of the mirror for a long time, staring at myself.
My black hair, emitting a mysterious light!

It was so magical and beautiful.

I hugged George and the elderly teacher tightly, one after the other. They hugged me back gently.

We held each other and spun around, dancing.
'The wheels on the bus go round and round, round and round...'

'Ding... ding... ding!'
Mom was waiting at the school gate again today. When we got home, she quickly took out the yellow handkerchief to wrap around my hair.

"No, Mom! The yellow handkerchief isn't pretty at all. My hair is prettier, look! My hair has the light of the Milky Way in it."

Mom's eyes widened as she held the yellow handkerchief in her hand. She wiped her eyes with the yellow handkerchief, and her eyes became clear and bright. Without a word, Mom gently stroked my hair with her soft hands.

With my flowing hair swept back, I play with a doll today as usual.

Let's think.

If the Ugly Duckling can never return to the swan group, how should it live its life?